Spíonáin is Róiseanna

GUTH AN EALAÍONTÓRA

Imleabhar 3

Spíonáin is Róiseanna

COMPÁNACH DON CHAISÉAD CIC L21

Nuala Ní Dhomhnaill

Cló Iar-Chonnachta
Indreabhán
Conamara, Éire

An Chéad Chló 1993
An Dara Cló 1997

© Nuala Ní Dhomhnaill 1993

Portráid
Brian McMahon

Clúdach
Pádraic Reaney

Dearadh
Micheál Ó Conghaile
Deirdre Ní Thuathail

Faigheann Cló Iar-Chonnachta Teo. cúnamh airgid ón
gComhairle Ealaíon.

Foilsíodh leaganacha de na dánta seo cheana in
An Dealg Droighin (Mercier, 1981),
Féar Suaithinseach (An Sagart, 1984)
Feis (An Sagart, 1991)

Clóchur: Cló Iar-Chonnachta Teo., Indreabhán, Conamara
Fón: 091-593307 Fax: 091-593362
Priondáil: Clódóirí Lurgan Teo., Indreabhán, Conamara
Fón: 091-593251 /593157

TAOBH 1

TAOBH 2

Táimid damanta, a dheirféaracha

Táimid damanta, a dheirféaracha,
sinne a chuaigh ag snámh
ar thránna istoíche is na réalta
ag gáirí in aonacht linn,
an mhéarnáil inár dtimpeall
is sinn ag scréachaíl le haoibhneas
is le fionnuaire na taoide,
gan gúnaí orainn ná léinte
ach sinn chomh naíonta le leanaí bliana,
táimid damanta, a dheirféaracha.

Táimid damanta, a dheirféaracha,
sinne a thug dúshlán na sagart
is na ngaolta, a d'ith as mias na cinniúna,
a fuair fios oilc is maitheasa
chun gur chuma linn anois mar gheall air.
Chaitheamair oícheanta ar bhántaibh Párthais
ag ithe úll is spíonán is róiseanna
laistiar dár gcluasa, ag rá amhrán
timpeall tinte cnámh na ngadaithe,
ag ól is ag rangás le mairnéalaigh agus robálaithe
is táimid damanta, a dheirféaracha.

Níor chuireamair cliath ar stoca
níor chíoramair, níor shlámamair,
níor thuigeamair de bhanlámhaibh
ach an ceann atá ins na Flaithis in airde.
B'fhearr linn ár mbróga a chaitheamh dínn ar
       bharra taoide
is rince aonair a dhéanamh ar an ngaineamh fliuch
is port an phíobaire ag teacht aniar chughainn
ar ghaotha fiala an Earraigh, ná bheith fanta
istigh age baile ag déanamh tae láidir d'fhearaibh,
is táimid damanta, a dheirféaracha.

Beidh ár súile ag na péisteanna
is ár mbéala ag na portáin,
is tabharfar fós ár n-aenna
le n-ithe do mhadraí na mbailte fearann.
Stracfar an ghruaig dár gceannaibh
is bainfear an fheoil dár gcnámha
geofar síolta úll is craiceann spíonán
leasc rianta ár gcuid urlacan
nuair a bheimid damanta, a dheirféaracha.

Ceist na Teangan

Cuirim mo dhóchas ar snámh
i mbáidín teangan
faoi mar a leagfá naíonán
i gcliabhán
a bheadh fite fuaite
de dhuilleoga feileastraim
is bitiúman agus pic
bheith cuimilte lena thóin

ansan é a leagadh síos
i measc na ngiolcach
is coigeal na mban sí
le taobh na habhann,
féachaint n'fheadaraís
cá dtabharfaidh an sruth é,
féachaint, dála Mhaoise,
an bhfóirfidh iníon Fhorainn?

Fear

Bain díot do chuid éadaigh
ceann ar cheann,
do threabhsar is do bheist
líontánach liath.
Cuir do chuid spéaclaí
ar an gclabhar
in aice led chíor
is do haincisiúr.

Is siúil chugam trasna
an urláir ar deis
go bun na leapan
chun go bhfaighead deis
mo shúile a shíneadh
thar an niamh dorcha id chneas,
thar na míorúiltí is na háilleachtaí
id chabhail.

Is ná bí grod ná giorraisc
liom anocht,
ná fiafraigh díom "cén chaoi?"
ná brostaigh ort,
tuig nach lú a fhéadaim
i bhfianaise do dhea-nocht
mo shúile a líonadh
ná iad a dhúnadh ort.

A fhir atá chomh fada
as do ghéag,
chomh leathan as do ghualainn
is do thaobh,
fainge fionn fireann
ó bhaitheas go bearradh iongan
is do bhall fearga
cumtha dá réir,

ba chóir go mórfaí tú
os comhair an tslua,
go mbronnfaí ort
craobh is próca óir,
ba chóir go snoífí tú
id dhealbh marmair
ag seasamh romham
id pheilt is uaireadóir.

Máthair

Do thugais dom gúna
is thógais arís é;
do thugais dom capall
a dhíolas i m'éagmais;
do thugais dom cláirseach
is d'iarrais thar n-ais é;
do thugais dom beatha.

Féile Uí Bhriain
is a dhá shúil ina dhiaidh.

Cad déarfá
dá stracfainn an gúna?
dá mbáfainn an capall?
dá scriosfainn an chláirseach
ag tachtadh sreanga an aoibhnis
is sreanga na beatha?
dá shiúlfain le haill
thar imeall Cuas Cromtha?
ach tá's agam do fhreagra —
le d'aigne mheánaoiseach
d'fhógrófá marbh mé,
is ar cháipéisí leighis
do scríobhfaí na focail
mí-bhuíoch, scitsifréineach.

Athair

N'fheadar fós
an ar maidin
nó an tráthnóna
a chonac ann é
ina sheasamh
leis an ngeata
is hata mór dubh
ar a cheann
an raibh
aimsir an dúluachair
ag teacht
nó ag imeacht uainn
nó an cuimhin liom
i ndáiríre é
is nach taibhreamh
a d'fhan im' cheann
ach pé rud eile de
bhí sé fuar fuar fuar fuar
bhí scáilí fada dorcha
is grian mhílítheach bhán
agus is ag imeacht
a bhí sé sin
mar ina dhiaidh sin
ní raibh sé ann
is bhí mé a dó
nuar a tharla seo

nó a trí
ar an gcuid is mó
is níl a fhios agam
ach gur cuimhin liom
m'athair ag fágaint baile
maidin i mí Feabhra
nó tráthnóna sa bhfómhar.

An bhábóg bhriste

A bhábóigín bhriste ins an tobar,
caite isteach ag leanbh ar bhogshodar
anuas le fánaidh, isteach faoi chótaí a mháthar.
Ghlac sé preab in uaigneas an chlapsholais
nuair a léim caipíní na bpúcaí peill chun a bhéil,
nuair a chrom na méaracáin a gceannaibh ina threo
is nuair a chuala sé uaill chiúin ón gceann cait ins
    an dair.
Ba dhóbair nó go dtitfeadh an t-anam beag as nuair
    a ghaibh
easóg thar bráid is pataire coinín aici ina béal,
na putóga ar sileadh leis ar fuaid an bhaill
is nuair a dh'eitil an sciathán leathair ins an spéir.

Theith sé go glórach is riamh ó shoin
tánn tú mar fhinné síoraí ar an ngoin
ón tsaighead a bhuail a chluais; báite sa láib
t'fhiarshúil phlaisteach oscailte de ló
is d'oíche, chíonn tú an madra rua is a hál
ag teacht go bruach na féithe raithní taobh lena
    bpluais
is iad ag ól a sá; tagann an broc chomh maith ann
is níonn a lapaí; sánn sé a shoc san uisce is lá
an phátrúin tagann na daoine is casann siad seacht
    n-uaire
ar deiseal; le gach casadh caitheann siad cloch san uisce.

Titeann na clocha beaga seo anuas ort.
Titeann, leis, na cnónna ón gcrann coill atá ar dheis
an tobair is éireoir reamhar is feasach mar bhreac
beannaithe sa draoib. Tiocfaidh an spideog
    bhroinndearg
de mhuintir Shúilleabháin is lena heireabaillín
déanfaidh sí leacht meala d'uiscí uachtair an tobair
is leacht fola den íochtar, fós ní bheidh corraí asat.
Taoi teanntaithe go síoraí ins an láib, do mhuineál
    tachtaithe
le sreanganna "lobelia". Chím do mhílí ag stánadh
    orm
gan tlás as gach poll snámha, as gach lochán,
    Ophelia.

Éinín clipithe a thuirling
lá
ar thairsing na fuinneoige
chugam
N'fheadar cad as a dtáinig sé
nó cá
ngaibh sé nuair a fhág sé
fothain mo rúm.

Créatúirín sciotaithe
ó Chríocha Lochlann,
do dhein sé nead do fhéin
go faicheallach
istigh i mo bhaclainn,
do bhailigh fuinneamh, fuinneamh
nó gur chan sé scol
a sheol i dtaibhreamh mé
isteach i dtír nárbh eol

dom soir thar siar ná pé
áit go rabhas ag dul,
arbh lá nó oíche é
ná cad as a dtáinig an ceol,
i dtaobh thoir don ngealaigh
is i dtaobh thiar don ngréin
i ngairdín a bhí lán
de shútha craobh.

N'fheadar cár imigh sé nó fiú
cathain.
Bhí sé eitilte nuair a dhúisíos
ar maidin.
Osclaím comhla na fuinneoige
is ar an dtairsing
fágaim méisín fíoruisce
is gráinní ruachruithneachtan.

In Memoriam
Elly Ní Dhomhnaill
(1884—1963)

Fuair sí céim onórach
sa bhitheolaícht
i míle naoi gcéad is a ceathair.
Ansin chuaigh abhaile
chun a baile fearann
tóin le gaoith,
taobh thíos de chnoc,
is d'fhan ann fad a marthain.

Níor phós sí riamh.
Ní raibh éinne timpeall maith a dhóthain di.
Nuair a phós a deartháir
ní raibh an bhean a phós sé
maith a dhóthain dó, shíl sí,
agus do dhíol sí an talamh orthu.

Do throid sí a hathair,
Do throid sí a deartháir.
Do throid sí an sagart paróiste.
Dar léi, níor chóir
na síntiúis a bheith á léamh amach os ard
i lár an Aifrinn.
Thuig sí an t-uaibhreas
a chuirfeadh ar dhaoine bochta

íoc thar a gcumas don Eaglais
ag fágáil a leanaí ocrach.
Dá réir sin:
shuíodh sí ina piú féin go sásta
a lámh ar a bata droighneáin
is ar a ceann hata,
fad a nglaoití amach ón altóir
'Elly Ní Dhomhnaill — dada'.

M'athair an t-aon duine
a théadh á féachaint
— *pius Aeneas* na clainne —
is nuair a cailleadh í
d'fhág sí an tigh aige
a dhíolamar de bharr taise.
Gheallas-sa go scríobhfainn litir chuici
rud nár dheineas.
B'fhéidir gur litreacha
a bhfuil scríofa ó shin agam
a seoladh chuig an spiorad uaibhreach
nár chall di luí
le fear a diongbhála.

Cuireadh m'fhear céile
ar a aire i m'choinne
ar eagla an drochbhraoin chéanna,
á rá go rabhas-sa mar í féin,
cúl le cine,
is nach raibh aon oidhre eile uirthi.

Fadó
bhí binib sa bhfeochán gaoithe ag séideadh ó
    Bhinn os Gaoith
is ár sinsear ag dul le heallach isteach go Macha na
    Bó.

Dán do Mhelissa

Mo Pháistín Fionn ag rince i gcroí na duimhche,
ribín i do cheann is fáinní óir ar do mhéaranta
duitse nach bhfuil fós ach a cúig nó a sé do bhlianta
tíolacaim gach a bhfuil sa domhan mín mín.

An gearrcach éin ag léimt as tóin na nide
an feileastram ag péacadh sa díog,
an portán glas ag siúl fiarsceabhach go néata,
is leatsa iad le tabhairt faoi ndeara, a iníon.

Bheadh an damh ag súgradh leis an madra allta
an naíonán ag gleáchas leis an nathair nimhe,
luífeadh an leon síos leis an uan caorach
sa domhan úrnua a bhronnfainn ort mín mín.

Bheadh geataí an ghairdín ar leathadh go moch is
    go déanach,
ní bheadh claimhte lasrach á fhearadh ag Ceiribin,
níor ghá dhuit duilliúr fige mar naprún íochtair
sa domhan úrnua a bhronnfainn ort mín mín.

A iníon bhán, seo dearbhú ó do mháithrín
go mbeirim ar láimh duit an ghealach is an ghrian
is go seasfainn le mo chorp idir dhá bhró an
    mhuilinn
i muilte Dé chun nach meilfí tú mín mín.

Oileán

Oileán is ea do chorp
i lár na mara móire.
Tá do ghéaga spréite ar bhraillín
gléigeal os farraige faoileán.

Toibreacha fíoruisce iad t'uisí
tá íochtar fola orthu is uachta meala.
Thabharfaidís fuarán dom
i lár mo bheirfin
is deoch slánaithe
sa bhfiabhras.

Tá do dhá shúil
mar locha sléibhe
lá breá Lúnasa
nuair a bhíonn an spéir
ag glinniúint sna huiscí.
Giolcaigh scuabacha iad t'fhabhraí
ag fás faoina gciumhais.

Is dá mbeadh agam báidín
chun teacht faoi do dhéin,
báidín fionndruine,
gan barrchleite amach uirthi
ná bunchleite isteach uirthi
ach aon chleite amháin

droimeann dearg
ag déanamh ceoil
dom fhéin ar bord,

thógfainn suas
na seolta boga bána
bogóideacha; threabhfainn
trí fharraigí arda
is thiocfainn chughat
mar a luíonn tú
uaigneach, iathghlas,
oileánach.

Ag cothú linbh

As ceo meala an bhainne
as brothall scamallach maothail
éiríonn an ghrian de dhroim
na maolchnoc
mar ghine óir
le cur i do ghlaic,
a stór.

Ólann tú do shá ó mo chíoch
is titeann siar i do shuan
isteach i dtaibhreamh buan,
tá gáire ar do ghnúis.
Cad tá ag gabháil trí do cheann,
tusa ná fuil
ach le coicíos ann?

An eol duit an lá ón oíche,
go bhfuil mochthráigh mhór
ag fógairt rabharta,
go bhfuil na báid
go doimhin sa bhfarraige
mar a bhfuil éisc is rónta
is míolta móra
ag teacht ar bhois is ar bhais
is ar sheacht maidí rámha orthu,

go bhfuil do bháidín ag snámh
óró sa chuan
leis na lupadáin lapadáin
muranáin maranáin,
í go slim sleamhain
ó thóin go ceann
ag cur grean na farraige
in uachtar
is cúr na farraige
in íochtar?

Orthu seo uile an bhfuilir
faoi neamhshuim?
is do dhoirne beaga
ag gabháilt ar mo chíoch.

Tánn tú ag gnúsacht le taitneamh,
ag meangadh le míchiall,
Féachaim san aghaidh ort, a linbh,
is n'fheadar an bhfeadaraís
go bhfuil do bhólacht
ag iníor i dtalamh na bhfathach,
ag slad is ag bradaíocht,
is nach fada go gcloisfir
an "fí-faidh-fó-fum"
ag teacht thar do ghuaille aniar.

Tusa mo mhuicín a chuaigh
ar an margadh,
a d'fhan age baile,
a fuair arán agus im
is ná fuair dada.
Is mór liom de ghreim tú
agus is beag liom de dhá ghreim,
is maith liom do chuid feola
ach ní maith liom do chuid anraith.

Is cé hiad pátrúin bhunaidh
na laoch is na bhfathach
munar thusa is mise?

Claoninsint

Tá's againn, a dúradar,
cár chaithis an samhradh, a dúradar,
thíos i mBun an Tábhairne, a dúradar,
cad a dheinis gach lá, a dúradar,
chuais ar an dtráigh a dúradar,
níor chuais ag snámh, a dúradar.
Canathaobh nár chuais ag snámh?
mar bhí sé rófhuar, a dúradar,
rófhuar do do chnámha, a dúradar
do do chnámha atá imithe gan mhaith, a dúradar
bodhar age sámhnas nó age teaspach gan dúchas
gur deacair dhuit é a iompar, a dúradar.

Breith Anabaí Thar Lear

Luaimnigh do shíol i mo bhroinn
d'fhailtíos roimh do bhreith.
Dúrt go dtógfainn go cáiréiseach thú
de réir gnása mo nua-mhuintire.

An leabhar beannaithe faoi do philiúr
arán is snáthaid i do chliabhán,
léine t'athar anuas ort
is ag do cheann an scuab urláir.

Bhí mo shonas
ag cur thar maoil
go dtí sa deireadh
gur bhris na bainc
is sceith
frog deich seachtainí;
ní mar a shiltear a bhí.

Is anois le teacht na Márta
is an bhreith a bhí
le bheith i ndán duit
cuireann ribíní bána na taoide
do bhindealáin i gcuimhne dom
tointe fada na hóinsí.

Is ní raghad
ag féachaint linbh
nuabheirthe mo dhlúthcharad
ar eagla mo shúil mhillteach
do luí air le formad.

Sionnach

A Mhaidrín rua,
rua rua rua rua
nach breá nach bhfuil fhios agat,
dá mhéid a ritheann leat,
sa deireadh
gurb é siopa an fhionnadóra
a bheidh mar chríoch ort.

Nílimidne filí
pioc difriúil.
Deir John Berryman
go ndeir Gottfried Benn
go bhfuilimid ag úsáid ár gcraiceann
mar pháipéar falla
is go mbuafar orainn.

Ach fógra do na fionnadóirí;
bígí cúramach.
Ní haon ghiorria
í seo agaibh
ach sionnach rua
anuas ón gcnoc.
Bainim snap
as láimh mo chothaithe.

Scéala

Do chuimhnigh sí
go deireadh thiar
ar scáil an aingil
sa teampall,
cleitearnach sciathán
ina timpeall;
is dúiseacht le dord colúr
is stealladh ga gréine
ar fhallaí aolcloch
an lá a fuair sí an scéala.

É siúd
d'imigh
is n'fheadar ar chuimhnigh riamh
ar cad a d'eascair
óna cheathrúna,
dhá mhíle bliain
d'iompar croise
de dhóiteán is deatach,
de chlampar chomh hard
le spící na Vatacáine.

Ó, a mhaighdean rócheannsa,
nár chuala trácht ar éinne riamh
ag teacht chughat sa doircheacht
cosnocht, déadgheal
is a shúile lán de rógaireacht.

Primavera

D'athraigh gach aon ní nuair a ghaibh sí féin thar bráid.
Bhainfeadh sí deora áthais as na clocha glasa,
    deirim leat.
Na héanlaithe beaga a bhí go dtí seo faoi smál,
d'osclaíodar a scornach is thosnaigh ag pípeáil
ar chuma feadóige stáin i láimh gheocaigh, amhail
is gur chuma leo sa diabhal an raibh nó nach raibh
    nóta acu.
Bláthanna fiaine a bhí chomh cúthail, chomh humhal
ag lorg bheith istigh go faicheallach ar chiumhaiseanna
na gceapach mbláth, táid anois go rábach, féach an
    falcaire fiain
ag baint radharc na súl díom go hobann lena réiltíní
    craorag'.

Bhíos-sa, leis, ag caoi go ciúin ar ghéag,
i bhfolach faoi dhuilleog fige, éalaithe i mo dhú dara,
ag cur suas stailce, púic orm chun an tsaoil.
Thógfadh sé i bhfad níos mó ná meangadh gáire
ó aon spéirbhean chun mé a mhealladh as mo shliogán,
bhí an méid sin fógraithe thall is abhus agam roimh ré.
Ach do dhein sí é, le haon searradh amháin dá taobh
le haon sméideadh meidhreach, caithiseach, thar a
    gualainn
do chorraigh sí na rútaí ionam, is d'fhág mé le
    míobhán
im cheann, gan cos ná láimh fúm, ach mé
    corrathónach, guagach.

Na Súile Uaine

Sular ghliúc
súile uaine
an nathar nimhe
san uaigneas

bhí rincí fada Andalúiseacha
cíortha cnáimh
is gúnaí tafata
ag déanamh glóir
mar thor cabáiste
sular ghliúc na súile uaine.

Sular lúb sé
lúb na lúibe
síos ar bhrainse
na n-úll cumhra

bhí hataí peacacha
faoi chleití piasún
is bataí droighin
faoi lámhchrainn éabhair
bhí cailí láis
is drithliú ar éadach
sular lúb se síos ar ghéag ann.

Sular ith sé
greim den úll ann

bhí cnaipí ag oscailt
i ndiaidh a chéile
bhí cabhail á nochtadh
faoi scailí oíche
bhí gruaig rua
ar gach lánún ann
is iad ag péinteáil breicní
ar a chéile
le gathanna gréine;
ag miongháirí
sular bhain sé greim den úll ann.

Ach anois
tá an greim bainte
an t-úll ite
an chnuimh ginte
ár gcosa nite
is táimid luite
sa doircheacht síoraí
mar a bhfuil gol is gárthaíl
is díoscán fiacal
go heireaball timpeall.

Fáilte an Ghalláin
Roimh Titim na hOíche

Leath do bhrat dorcha
ar mhuir is ar thaoide,
leath é ar na maolchnocáin,
scinneann na réalta
as scoilteanna i d'fhallaing,
éiríonn an ré
as aon phóca amháin.

Leath é mar a leathais
do chuilt suain ormsa,
líonann na scáileanna
as do mhuinearthlaí lán,
fáisc i ngreim daingean
an talamh go hiomlán,
líon suas le d'fhórsa
gach gleann is gach má.

Oícheanta fadó
nuair a bhíomar sa phuball
cluthar in abhras,
i bhfionnadh na ngabhar,
má leathais do bhairlín ar raithneach
ba chuma,
do b'fhearr ná riamh an ramsach
a bhaineamar as.

36

D'fhanainn i bhfillte
do phluide is do chochail,
thiteadh mo shuan orm
i ngan fhios dom féin.
Chloisteá an sioscadh
is mé ag caint trí mo chodladh;
d'imíodh an tine in éag
diaidh ar ndiaidh.

Ní corp atá curtha
faoi lár na lice
seo; fós ní haon chnámharlach
measctha le haol.
Mise atá fós ann,
Fas, bean Uin Mhic Uige,
reoite im' charraig
mar a bhain do bhean Lot.

Leath do phluid uaignis
thar muir is thar talamh,
titfidh na scáileanna anuas
ceann ar cheann,
séidfidh mo chuimhní
trí phóirsí na cloiche
seinnfidh an ghaoth
seordán síoraí orm.

Fuadach

Do shiúl bean an leasa
isteach im dhán.
Níor dhun sí doras ann.
Níor iarr sí cead.
Ní ligfeadh fios mo bhéasa dhom
í a chur amach arís
is d'imríos cleas bhean an doichill uirthi,
dúrt:

"Fan má tá deithneas ort,
is ar ndóigh, tá.
Suigh suas chun na tine,
ith is ól do shá
ach dá mbeinnse id thi'-se
mar taoi-se im thi'-se
d'imeoinn abhaile
ach mar sin féin fan go lá."

Rud a dhein. D'éirigh sí is bhí ag gnó
ar fuaid an tí. Chóraigh na leapacha,
nigh na háraistí. Chuir na héadaí
salacha sa mheaisín níocháin.
Nuair a tháinig m'fhear céile
abhaile chun an tae
n'fheadar sé na gurb í mise a bhí aige.

Ach táimse i bpáirc an leasa
i ndoircheacht bhuan.
Táim leata leis an bhfuacht ann,
níl orm ach gúna fionnacheoigh.
Is más áil leis mé a bheith aige
tá a réiteach le fáil—
faigheadh sé soc breá céachta
is é a smearadh le him
is é a dheargadh sa tine.

Ansan téadh sé 'on leabaidh
mar a bhfuil an bhean mheallaidh
is bíodh an soc aige á theannadh léi.
"Sáigh suas lena pus é,
dóigh is loisc í,
is faid a bheidh sí siúd ag imeacht
beadsa ag teacht,
faid a bheidh sí ag imeacht
beadsa ag teacht."

An Crann

Do tháinig bean an leasa
le Black + Decker,
do ghearr sí anuas mo chrann.
D'fhanas im óinseach ag féachaint uirthi
faid a bhearraigh sí na brainsí
ceann ar cheann.

Tháinig m'fhear céile abhaile tráthnóna.
Chonaic sé an crann.
Bhí an gomh dearg air,
ní nach ionadh. Dúirt sé
"Canathaobh nár stopais í?
nó cad is dóigh léi?
cad a cheapfadh sí
da bhfaighinnse Black + Decker
is dul chun a tí
agus crann ansúd a bhaineas léi
a ghearradh anuas sa ghairdín?"

Tháinig bean an leasa thar n-ais ar maidin.
Bhíos fós ag ithe mo bhricfeasta.
D'iarr sí orm cad dúirt m'fhear céile.
Dúrtsa léi cad dúirt sé,
go ndúirt sé cad is dóigh léi,
is cad a cheapfadh sí
dá bhfaigheadh sé siúd Black + Decker

is dul chun a tí
is crann ansúd a bhaineas léi
a ghearradh anuas sa ghairdín.

"Ó," ar sise, *that's very interesting.*"
Bhí béim ar an *very.*
Bhí cling leis an *-ing.*
Do labhair sí ana-chiúin.
Bhuel, b'in mo lá-sa,
pé ar bith sa tsaol é,
iontaithe bunoscionn.
Thit an tóin as mo bholg
is faoi mar a gheobhainn lascadh chic
nó leacadar sna baotháin
líon taom anbhainne isteach orm
a dhein chomh lag san mé
gurb ar éigean a bhí ardú na méire ionam
as san go ceann trí lá.

Murab ionann is an crann
a dh'fhan ann, slán.

An Slad

Sheas Bean an Leasa
ag an doras tráthnóna.
D'fhéach sí in airde sa spéir.
Chonaic sí go ndéanfadh sé
an-oíche bradaíochta
is go raibh an aimsir faoi dhó.

Labhair sí thar a gualainn
isteach ar na fearaibh
ag meargú fúthu,
á bpriocadh is á saighdeadh
chun a thuilleadh díobhála.
Sa deireadh chuir sí cealg iontu.

Dúirt sí "Is maith an t-ábhar an oíche
dá mba mhaith na fiagaithe na fir.
Tá sí spéireanach, réiltheannach
gan a bheith fliuch
agus dá mba ormsa a bheadh an bríste
ba mhaith an chaora a bheadh agam ón gcnoc."

B'in a raibh uathu.
Do thugadar sciuird chuthaigh
is do dheineadar cosair easair don dúthaigh.
Do bhíos-sa go mí-ámharúil sa bhealach rompu
i mo chaoirín odhar mhaolchluasach.

Do ropadar mo mhuineál, do ghearradar mo
    speireacha.
Do chuireadar poll is fiche i mo sheithe.

Is a Bhean an Leasa
arbh fhiú an róstadh?
Ar chuir sé do dhóthain póite
ar do bholg?
Ar bhainis aon tsúp
as mo chrúibíní néata?
Ar chuimlís aon gheir
le do thóin?

Fáilte Bhéal na Sionna don Iasc

Léim an bhradáin
Sa doircheacht
Lann lom
Sciath airgid
Mise atá fáiltiúil, líontach
Sleamhain,
Lán d'fheamnach,
Go caise ciúin
Go heireaball eascon.

Bia ar fad
Is ea an t-iasc seo
Gan puinn cnámh
Gan puinn putóg
Fiche punt teann
De mheatáin iata
Dírithe
Ar a nead sa chaonach néata.

Is seinnim seoithín
Do mo leannán
Tonn ar thonn
Leathrann ar leathrann,
Mo thine ghealáin mar bhairlín thíos faoi
Mo rogha a thoghas féin ón iasacht.

Venio Ex Oriente

Tugaim liom spíosraí an Oirthir
is rúin na mbasár
is cumhráin na hAráibe
ná gealfaidh do láimhín bán.

Tá henna i m'chuid gruaige
is péarlaí ar mo bhráid
is tá cróca meala na bhfothach
faoi cheilt i m'imleacán.

Ach tá mus eile ar mo cholainnse,
boladh na meala ó Imleacht Shlat
go mbíonn blas mismín is móna uirthi
is gur dorcha a dath.

Leaba Shíoda

Do chóireoinn leaba duit
i Leaba Shíoda
sa bhféar ard
faoi iomrascáil na gcrann
is bheadh do chraiceann ann
mar shíoda ar shíoda
sa doircheacht
am lonnaithe na leamhan.

Craiceann a shníonn
go gléineach thar do ghéaga
mar bhainne á dháil as crúiscíní
am lóin
is tréad gabhar ag gabháil thar chnocáin
do chuid gruaige
cnocáin ar a bhfuil faillte arda
is dhá ghleann atá domhain.

Is bheadh do bheola taise
ar mhilseacht shiúcra
tráthnóna is sinn ag spaisteoireacht
cois abhann
is na gaotha meala
ag séideadh thar an Sionna
is na fiúisí ag beannú duit
ceann ar cheann.

Na fiúisí ag ísliú
a gceanna maorga
ag umhlú síos don áilleacht
os a gcomhair
is do phriocfainn péire acu
mar shiogairlíní
is do mhaiseoinn do chluasa
mar bhrídeog.

Ó, chóireoinn leaba duit
i Leaba Shíoda
le hamhscarnach an lae
i ndeireadh thall
is ba mhór an pléisiúr dúinn
bheith géaga ar ghéaga
ag iomrascáil
am lonnaithe na leamhan.

An tSeanbhean Bhocht

Féachann an tseanbhean orm le neamhshuim is uabhar
as a súile tréigthe atá ar dhath na mbugha
ag cuimhneamh siar ar laethanta geala a hóige,
gur thrua go raibh gach aon ní chomh buacach san
    aimsir ollfhoirfe.
Canathaobh an uair úd nuair a chan éan
gurb í an neachtaingeal a bhí i gcónaí ann?
Canathaobh fadó nuair a thug a leannáin chuici
fleascanna bláth gurb iad na cinn *orchidé en fleur*
ab fhearr a fuaireadar? Nó b'fhéidir ar laethanta fuara
sailchuacha cumhra. I gcónaí bhíodh buidéal
    seaimpéin
ar an gclár i mbuicéad ard leac oighre, bhíodh lása
    Charraig Mhachaire Rois
ar chaola a láimhe is bhíodh diamaintí ar sileadh
óna cluasa, muince péarlaí casta seacht n-uaire thart
    faoina bráid,
is ar a méireanna bhíodh fáinní luachmhara, go háirithe
ceann gur chuimhin léi a bheith an-speisialta — ceann
ar a raibh smeargaidí chomh mór le húll do phíopáin.

Féachann sí orm anois leis an dtruamhéil fhuar
a chífeá go minic i súile a bhí tráth óg is breá,
ag meabhrú di féin i m'fhianaise, leath os íseal
is leath os ard, gur mhéanar don té a fuair amharc
ar an gcéad lá a shiúil sí go mómharach síos an
    phromanáid

mar ríon faoina parasól; ar na céadta céadta gaiscíoch
is fear breá a chuaigh le saighdiúireacht in airm na
   Breataine
nó a theith leo ar bord loinge go dtí na tíortha teo —
aon ní ach éaló ós na saigheada éagóra
a theilgeadh sí orthu de shíor faoina fabhraí tiubha.

Caoineann sí, ag monabhar faoina hanáil go bog,
an tréimhse fhada, achar bliana is lae,
ar thug sí an svae léithi mar bhanríon na bplainéad:
na leanaí a bheirtí nuair a théadh sí faoi loch
i ndaigh uisce i lár na cistineach,
múchadh nó bá an chríoch bháis a bhíodh orthu
is dob é an chroch a bhí i ndán do gach n-aon
a raibh de mhí-ádh air teacht ar an saol
nuair a bhí lúb na téide tarraigthe ar a muineál.
Is iad siúd a chéad chonaic solas an lae
nuair a léimeadh sí sa tine gurb é a ndeireadh
a bheith dóite is loiscithe le teann grá di féin,
chun gur thit na céadta ina sraithibh deas is clé
ní le grá bán nó breac ná grá pósta, mo léir!
ach an grá dubh is an manglam dicé a leanann é.

Anois tá sí cancarach, ag tabhairt amach dom
ar dalladh. Tá sí bréan bodhar bodaráilte
ó bheith suite ina cathaoir rotha. Gan faic
na ngrást le déanamh aici ach a bheith ag féachaint
ar na ceithre fallaí. Rud eile,

níl na cailíní aimsire faoi mar a bhídís
cheana. Fágann siad rianta smeartha
ar an *antimacassar* lena méireanta salacha.
Fuair sí an píosa bróidnéireachta sin ó bhean
ambasadóra is bheadh an-dochma uirthi é a scaoileadh
chun siúil nó, tré dhearmhad, ligint dóibh siúd
é a mhilleadh.

Tugaim faoi ndeara nach nguíonn sí
sonuachar maith chucu nuair a thagann siad
isteach leis an dtrádaire líonta síos go talamh
le gréithre póirseiléine, taephota airgid
is ceapairí cúcamair. Táimse ar thaobh na gcailíní,
is deirim léi cén dochar, go bhfuil siad fós óg,
is nach féidir ceann críonna a chur ar cholainn,
nach dtagann ciall roimh aois is gur mó craiceann . . .
is gur ag dul i mínithe is i mbréagaí atá gach dream
dá dtagann — gach seanrá a thagann isteach i mo
    chloigeann,
aon rud ach an tseanbhean bhaoth seo a choimeád
    socair.

An Casadh

Anois nó go bhfuil coiscéim coiligh
leis an oíche
ní féidir liom mo chasóg labhandair
a chrochadh a thuilleadh
le haon tsiúráil nó leath chomh neafaiseach
ar an nga gréine
ar eagla go dtitfeadh sí ar an urlár romham
ina glóthach frog.
Tá an clog leis ar an bhfalla ag obair
i mo choinne,
beartaíonn sé tréas de shíor
lena lámha tanaí bruíne
a aghaidh mhílitheach feosaí
ag stánadh orm gan stad
is bagairt shotalach óna theanga bhalbh.

Anois nó gur chac an púca
ar na sméara
is go bhfuil an bhliain ag casadh
ar a lúndracha
puthann siollaí gaoithe
trí sna hinsí orainn
is séidimid fuar is te.
Deineann ár gcnámha gíoscán
ar nós doras stábla
atá ag meirgiú go mear cheal íle.

Cuireann sé codladh grifín orainn is uisce
faoinár bhfiacla
ag cuimhneamh dár n-ainneoin ar thránna móra
an Earraigh is sinn go fuadrach
le linn taoidí móra an Fhómhair.

Titfidh an oíche go luath sa tráthnóna
gan choinne
mar shnap madra allta
i gcoinne an ghloine.
Ní chreidim an bearradh caorach
a iompraíonn an spéir a thuilleadh,
níl ann ach dallamullóg,
rud dorcha faoi bhréagriocht.
Is ní haon mhaith
"cuir do lapaí bána bána isteach"
a rá leis an ngaoth
sara n-osclaíonn tú an doras.
Tá neamhthor' aici ort fhéin
is ar do chaint bhaoth, is léi
urlár na cruinne le scuabadh
mar is áil léi.
Is bí cinnte dho nach spárálfaidh sí
an bhruis orainn anois,
gheobhaimid ó thalamh an dalladh
má fuair éinne riamh;
tá nimh ina héadan inár gcoinne
is gomh ina guth

go háirithe le tamall
ó dh'imigh an bhliain ó mhaith.

Cad tá le déanamh ach meaits
a lasadh leis an móin fhuinte
atá ag feitheamh go patfhoighneach
sa ghráta le breis is ráithe,
na cuirtíní a tharrac go righin
malltriallach ag fógairt an donais amach
is an tsonais isteach ar an dteaghlach,
suí síos le leabhar leabharlainne
le hais na tine
ag leathéisteacht le nuacht na teilifíse,
uaireanta ag dul i mbun cluiche fichille
nó dreas scéalaíochta
ag feitheamh le goradh na loirgne
is le róstadh na gcnap.

Titim i nGrá

Titim i ngrá gach aon bhliain ins an bhfómhar
leis na braonaíocha báistí ar ghloine tosaigh an chairr,
leis an solas leicideach filiúil ag dul thar fóir
na gcnoc ag íor na spéire os mo chomhair.
Le duilleoga dreoite á gcuachadh i mo shlí go cruiceach,
le muisiriúin, lúibíní díomais ar adhmad lofa,
titim i ngrá fiú leis an gcré fhuar is an bogach
nuair a chuimhním gurb é atá á thuar dúinn fós, a stór.

Titim i ngrá le gach a bhfuil ag dul as:
leis na prátaí ag dubhadh is ag lobhadh istigh sa chlais,
leis na *brussels sprouts* ag meirgiú ar na gais
ruaite ag an mbleaist seaca, searbh is tais.
Na rútaí airtisióc á gcreimeadh ar an luch,
na ruacain bodhar is doimhin sa ghaineamh fliuch,
na gráinní síl faoi iamh sa talamh, slán.
Titim i ngrá, beagáinín, leis an mbás.

Is ní hí an titim, ná an t-éirí aníos
san earrach — an searradh guaille, an cur chun cinn
    arís,
ag tabhairt faoin saol, ag máirseáil bhóithrín an rí
is measa liom, ach an t-amhras atá orm faoi.
Craithimid dínn brat sneachta, an tocht cleití
oigheartha a thiteann ó ál na n-éan neamhaí.
Caithimid uainn é, mar dhuairceas, i gcúil an choicís
meallta ag straois na gréine is an teas.

An Bóithrín Caol

Laistiar do thigh mo mháthar,
anuas an Bóithrín Caol,
i leith ó Bhóthar na Carraige,
trí thalamh chlann Uí Chíobháin,
do thagadh muintir Fhána
le húmacha ar chapaill,
glan trí mhíle ó bhaile
anuas ar an tráigh
ag triall ar ghaineamh.

Gaineamh le leathadh
ar urláir thithe
is i dtithe ba,
chun go meascfaí é
le haoileach
is go gcuirfí ina dhiaidh san
amach ar ghoirt é,
chun go bhfásfadh bleaist seaimpíní
ó thalamh bocht
nach raibh puinn críche air.

Do théadh na mná scafánta
anuas na failltreacha
ag dul ag baint iascáin
is cliabh ar a ndroim acu.
Bádh ceathrar cailíní óga

ar Leacacha an Ré,
— 'triúr Máire agus Mairéad Bán,
a chráigh mo chroí,' —
is chonaic na daoine
fear an chaipín deirg
ina shuí sa tonn a bháigh iad.

Uaireanta ar an tráigh
chím i mboghaisín
na dtonntracha ag briseadh
i gcoinne na gaoithe aniar
fear an chaipín chéanna.
Go hobann
tá píobaire ar an gcarraig
faoi bhun na faille
ag seinnt
is gan aon fhocal as,
is nuair a fhilleann na capaill istoíche
faoi na húmacha lán de ghaineamh
ní bhíonn fir a dtiomána
ag portaireacht a thuilleadh.

Freagra na Mná Ceiltí

'Luímid go hoscailte
leo siúd is mó gníomh gaile
faid is a chúplaíonn sibh faoi cheilt
le meathlóirí is fir feille.'

B'in freagra bean Argentocox
ar Julia an bhanimpire.
Mo léir, nach ionann atá an cás
againne, clann a clainne,
táimid rómhór faoi chuing
ag nósanna Rómhánacha.

I mBaile an tSléibhe

I mBaile an tSléibhe
tá Cathair Léith
is laistíos dó
tigh mhuintir Dhuinnshléibhe;
as san chuaigh an file Seán
'on Oileán
is uaidh sin tháinig an ghruaig rua
is bua na filíochta
anuas chugam
trí cheithre ghlún.

Ar thaobh an bhóthair
tá seidhleán
folaithe ag crainn fiúise,
is an feileastram
buí
ó dheireadh mhí Aibreáin
go lár an Mheithimh,
is sa chlós tá boladh
lus anainne nó camán meall
mar a thugtar air sa dúiche
timpeall
i gCill Uru is i gCom an Liaigh
i mBaile an Chóta is i gCathair Boilg.

Is lá
i gCathair Léith
do léim breac geal
ón abhainn
isteach sa bhuicéad
ar bhean
a chuaigh le ba
chun uisce ann,
an tráth
gur sheol trí árthach
isteach sa chuan,
gur neadaigh an fiolar
i mbarr an chnoic
is go raibh laincisí síoda
faoi chaoire na Cathrach.

Peirseifiné

"Ná bí buartha fúm, a mháthair,
is ná bí mallaithe,
cé go n-admhaím go rabhas dána
is nár dheineas rud ort,
gur thógas marcaíocht ón bhfear caol dorcha
ina *BhMW*,
bhí sé chomh dathúil sin, is chomh mánla
ná féadfainn diúltú dhó.

Thug sé leis thar thuras thar sáile mé
thar raoin m'aithne.
Bhí an gluaisteán chomh mear chomh síodúil sin
gur dhóigh leat go raibh sciatháin faoi.
Gheall sé sról is veilbhit dom
is thug sé dom iad leis.
Tá sé go maith dhom — ach aon rud amháin,
tá an tigh seo ana-dhorcha.

Deir sé go mbead i mo bhanríon
ar chríocha a chineáil,
go ndéanfaidh sé réalt dom chomh cáiliúil
le haon cheann acu i Hollywood.
Tugann sé diamaintí dom is seoda chun mo thola
ach tá an bia gann. Anois díreach
thugadar chugham úll gráinneach. Tá sé craorag
is lán de shíolta ar nós na mílte is na mílte

braonta fola."

Filleadh na Béithe

A dúrtsa leis an dia
mar a déarfadh mo leanaí
i bpatois Ghaelscoileanna Bhaile Átha Cliath,
"Féach anseo, tusa, faigh as!

Níl sé féaráilte.
Táim tar éis bháis, geall leis,
mo sparán is lán mo mhála goidte.
É seo go léir tíolactha
mar íbirt dhóite ar t'altóir-se
is cad tá fachta agamsa
ina éiric-san?"

Is an chéad rud eile
do sheol sé chugam tú.
Siúlann tú isteach im chroí
chomh neafaiseach, chomh haiclí
amhail is nár fhágais riamh é
ar feadh na mblianta.

Suíonn tú sa chathaoir
uilleann is compordaí
agus is teolaí le hais
na tine. Tá sceitimíní
áthais orm timpeall ort.

Faoi mhaide boilg an tsimléara
is faoi chabha an staighre
geofar láithreach
na coda beaga.

Dún

Id ghéaga daingne
ní bhfaighidh mé bás choíche,
ní thiocfaidh orm aon sceimhle,
ní líonfaidh orm anbhá.
Ní chloisfidh mé
ag gíoscán ins an oíche
fearsad na cairte fuafaire
a ghluaiseann trí pháirc an áir.

Is dún nó daingean iad
do ghéaga i mo thimpeall,
do ghuailne leathana
am chosaint ar a lán.
Ag cuardach fothaine dom
ó gharbhshíon na cinniúna
tá gairdín foscaidh le fáilt
idir do dhá shlinneán.

Is sa ghairdín sin
tá beacha is ológa,
tá mil ar luachair ann
is na crainn go léir faoi bhláth
i dtús an fhómhair
mar ní thagann aon gheimhreadh
is gaoth an tseaca
ní luíonn air anáil.

Is lasmuigh dínn
tá críocha is ciníocha
ag bruíon is ag bunú sibhialtachtaí,
ag puililiú ar an gclár.
Dá mbeadh ceithre creasa
na cruinne in aon chaor lasrach,
dá n-imeodh an cosmas
in aon mheall craorag amháin

ba chuma liom, do ghéaga
a bheith im thimpeall
níorbh ann do scáth nó eagla,
níorbh ann don ocras riamh.
Nuair a fhilleann tú mé
go cneasta isteach id bhaclainn
táim chomh slán sábháilte
leis an gcathair ard úd ar shliabh.

Coinnigh go daingean mé
laistigh den gciorcal draíochta
le teas do cholainne,
le teasargan do chabhaile.
Do chneas lem chneas,
do bhéal go dlúth lem béalaibh
ní chluinfead na madraí allta
ag uallfairt ar an má.

Ach níl in aon ní ach seal:
i gcionn leathuaire
pógfaidh tú mé ar bharr m'éadain
is casfaidh tú orm do dhrom,
is fágfar mé ar mo thaobh féin
don leaba dhúbailte
ag cuimhneamh faoi scáth do ghuailne
ná tiocfaidh orm bás riamh roimh am.

Feis

1

Nuair a éiríonn tú ar maidin
is steallann ionam
seinneann ceolta sí na cruinne
istigh im chloigeann.
Taistealaíonn an ga gréine
caol is lom
síos an pasáiste dorcha
is tríd an bpoll

sa bhfardoras
is rianann solas ribe
ar an urlár cré
sa seomra iata
is íochtaraí go léir.
Atann ansan is téann i méid
is i méid go dtí go líontar
le solas órga an t-aireagal go léir.

Feasta
beidh na hoícheanta níos giorra.
Raghaidh achar gach lae i bhfaid is i bhfaid.

11

Nuair a osclaím mo shúile
ag teacht aníos chun aeir

tá an spéir
gorm.
Canann éinín aonair
ar chrann.
Is cé go bhfuil an teannas
briste
is an ghlaise
ídíthe ón uain
is leacht meala leata
mar thúis
ar fuaid an domhain,
fós le méid an tochta
atá eadrainn
ní labhrann ceachtar againn
oiread is focal
go ceann tamaill mhaith.

111

Dá mba dhéithe sinn
anseo ag Brú na Bóinne:
tusa Sualtamh nó an Daghdha,
mise an abhainn ghlórmhar,

do stadfadh an ghrian is an ré
sa spéir ar feadh bliana is lae
ag cur buaine leis an bpléisiúr
atá eadrainn araon.

Faraoir, is fada ó dhéithe
sinne, créatúirí nochta.
Ní stadann na ranna nimhe
ach ar feadh aon nóiméad neamhshíoraí amháin.

1V

Osclaíonn rós istigh im chroí.
Labhrann cuach im bhéal.
Léimeann gearrcach ó mo nead.
Tá tóithín ag macnas i ndoimhneas mo mhachnaimh.

V

Cóirím an leaba
i do choinne, a dhuine
nach n-aithním
thar m'fhear céile.
Tá nóiníní leata
ar an bpilliúr is ar an adharta.
Tá sméara dubha
fuaite ar an mbraillín.

Vl

Leagaim síos trí bhrat id fhianaise:
brat deora,
brat allais,
brat fola.

VII

Mo scian trím chroí tú.
Mo sceach trím ladhar tú.
Mo cháithnín faoim fhiacail.

VIII

Thaibhrís dom arís aréir:
bhíomair ag siúl láimh ar láimh amuigh faoin spéir.
Go hobann do léimis os mo chomhair
is bhain greim seirce as mo bhráid.

IX

Bhíos feadh na hoíche
  ag tiomáint síos bóithre do thíre
i gcarr spóirt béaloscailte
is gan tú faram.
Ghaibheas thar do thigh
is bhí do bhean istigh
sa chistin.
Aithním an sáipéal
ag a n-adhrann tú.

X

Smid thar mo bhéal ní chloisfir,
mo theanga imithe ag an gcat.
Labhrann mo lámha dhom.
Caipín snámha iad faoi bhun do chloiginn
dod chosaint ar oighear na bhfeachtaí bhfliuch.
Peidhleacáin iad ag tóraíocht beatha
ag eitealaigh thar mhóinéar do choirp.

XI

Nuair a dh'fhágas tú
ar an gcé anocht
d'oscail trinse abhalmhór
istigh im ucht
chomh doimhin sin
ná líonfar
fiú dá ndáilfí
as aon tsoitheach
Sruth na Maoile, Muir Éireann
agus Muir nIocht.

Amhrán an fhir óig

Mo dhá láimh
ar do chíocha,
do dha nead éin,
do leaba fhlocais.
Sníonn do chneas
Chomh bán le sneachta
chomh geal le haol,
chomh mín leis an táth lín.

Searraim mo ghuaille
nuair a bhraithim
do theanga i mo phluic,
do bhéal faoi m'fhiacla.
Osclaíonn trinse faoi shoc mo chéachta.
Nuair a shroisim bun na claise
raidim.

Mise an púca
a thagann san oíche,
an robálaí nead,
an domhaintreabhadóir.
Loitim an luachair mórthimpeall
Tugaim do mhianach portaigh
chun míntíreachais.

Scéal béaloidis ón Leitriúch

Toisc gur phósas-sa
fear eile
ní charfaidh tú an saol
a thuilleadh
ach tógfaidh tú
chun na leapan
is i gcionn bliana
geobhair bás
is cuirfear tú
in uaigh do mhuintire
ar an dtaobh theas
de reilig Chill Éinne.

Is ar do bhás-sa
buailfidh taom mé
is treabhfadsa
an tslí a thaobhais
is cuirfear mé i dtuama
an fhir a phósas
i gcúinne thiar-thuaidh na cille.

Is fásfaidh rós
amach ó mo bhéal
is fásfaidh driseog
as do thaobh,
is ceanglóimid

i ndeire báire
i mbarr an stípil
os cionn an teampaill.

Rómánsaíocht ar fad is ea é seo, ar ndóigh,
ní thugann coraí crua an tsaoil seo
fábhar do mhairbh ná do bheoaibh.

Aubade

Is cuma leis an maidin cad air a ngealann sí;—
ar na cáganna ag bruíon is ag achrann ins na crainn
dhuilleogacha; ar an mbardal glas ag snámh go
   tóstalach
i measc na ngiolcach ins na curraithe; ar thóinín bán
an chircín uisce ag gobadh aníos as an bpoll portaigh;
ar roilleoga ag siúl go cúramach ar thránna móra.

Is cuma leis an ngrian cad air a éiríonn sí:—
ar na tithe bríce, ar fhuinneoga de ghloine snoite
is gearrtha i gcearnóga Seoirseacha: ar na saithí beach
ag ullmhú chun creach a dhéanamh ar ghairdíní
   bruachbhailte;
ar lánúine óga fós ag méanfach i gcoimhthiúin is fonn
a gcúplála ag éirí aníos iontu; ar dhrúcht ag
   glioscarnach
ina dheora móra ar lilí is ar róiseanna; ar do ghuaille.

Ach ní cuma linn go bhfuil an oíche aréir
thart, is go gcaithfear glacadh le pé rud a sheolfaidh
an lá inniu an tslí; go gcaithfear imeacht is cromadh
   síos
arís is píosaí beaga brealsúnta ár saoil a dhlúthú
le chéile ar chuma éigin, chun gur féidir
lenár leanaí uisce a ól as babhlaí briste
in ionad as a mbosa, ní cuma linne é.

Gaineamh shúraic

A chroí, ná lig dom is mé ag dul a chodladh
titim isteach sa phluais dhorcha.
Tá eagla orm roimh an ngaineamh shúraic,
roimh na cuasa scamhaite amach ag uisce,
áiteanna ina luíonn móin faoin dtalamh.

Thíos ann tá giúis is bogdéil ársa;
tá cnámha na bhFiann 'na luí go sámh ann
a gclaimhte gan mheirg—is cailín báite,
rópa cnáibe ar a muinéal tairrice.

Tá sé anois ina lag trá rabharta,
tá gealach lán is tráigh mhór ann,
is anocht nuair a chaithfead mo shúile a dhúnadh
bíodh talamh slán, bíodh gaineamh chruaidh
    romham.

Sneachta

Níor cheol éan,
níor labhair damh,
níor bhéic tonn,
níor lig rón sceamh.

Deora Duibhshléibhe

Trasnaím Mám Conrach
ar thuairisc mo ghaolta
is níl siad ann,
is tiomáinim liom cruinn díreach
ar aghaidh i dtreo Shruibh Bhroin.
Tá tithe na Machairí
ag glioscarnach mar chlocha scáil
is léas ar an uisce
mar bhogha síne iomlán
is gan an bogha le fáil.

Dá mbuailfinn anois leis an mBean Sí
Deora Duibhshléibhe
is í ag teacht ag caoineadh
Ghearaltaigh Mhurargáin:
seanbheainín liath faoi chlóca uaithne
is madra beadaí faoina hascaill
(*chihuahua*, ní foláir)

n'fheadar an mbeadh sé de mheabhair agam
is de éirim chinn
fiafraí
cad a bhainfeadh an draíocht
den Dún idir Dhá Dhrol
atá sna huiscí thíos
is an léas seo os a chionn
mar scáil?

Nó ab ann ab amhlaidh
a bheannóinn di go simplí
is í ag dul thar bráid
faoi mar a dheineas anois
ó chianaibhín
le bean ón áit.

Madame

Madame lastíos de loch,
do rúmanna geala
ina mbíodh mairt á leagadh
is caoirigh ar bhearaibh,

do chúirteanna aolda
ar oileáin ar imeall na mara
nó ag íor na spéire
a bhíodh de shíor am mhealladh

ó thráth m'óige i leith.
Ní tigh draighin é ná tigh
cárthain d'ionad cónaithe
ach halla airneáin.

Tá fiche troigh i leithead
a dhorais, tá díon
air de chleití éan
dearg is gorm.

Ní gá fuinneoga a dhúnadh
anseo ná doirse;
is cuma, mar tá
gach aon ní fliuch.

Is tá mo mháthair á treorú
agam i do choinne,
thar dhroichead gloine,
cos ar chos is rícháiréiseach

gach coiscéim a chuireann sí roimpi
ach tá ag éirí linn.
Ag tairseach do ghrianáin soilsigh
tagann fuarallas orm

ar an leac,
ag an doras roithleánach
a bhíonn de shíor is choíche
ag casadh ar mhórdtuathal,

mar éinne a théann suas
do staighre cloch
ní fheictear arís é
go brách.

Lá Chéad Chomaoineach

Ar ndóigh táimid déanach. Sleamhnaímid isteach sa
    phiú deireanach
i mbun an tsáipéil, an cailín beag sa ghúna bán ar
    an ngrua.
Tá an t-iomann iontrála thart is daoine ag rá an
    ghnímh aithrí:
A Thiarna déan trócaire, éist le mo ghuí is ná stop
    do chluais.

Sliochtanna as an mBíobla, an Chré is an Phaidir
    Eocaraisteach,
gaibheann siad trím chroí ar eiteoga, mar ghlór
    toirní i stoirm.
Tá an cór ag canadh "Hósana ins na hardaibh",
gur ag Críost an síol, is ina iothlann go dtugtar sinn.

Is tá an mórshiúl Comaoineach de gharsúin is de
    ghearrchailí beaga
ina ngúnaí cadáis nó a gcultacha le *rosette* is bonn
ar chuma ealta mhín mhacánta d'éanlaithe feirme
á seoladh faoin bhfásach gan tréadaí ná aoire ina mbun.

Agus is mise an bhean go dubhach ag áireamh a
    cuid géann sa mbealach,
ag gol is ag gárthaíl, ag lógóireacht don méid a
    théann ar fán,

iad á stracadh ó chéile ag sionnaigh is mic tíre ár
linne - an tsaint,
druganna, ailse, gnáthghníomhartha fill is timpistí
gluaisteán.

Deinim seó bóthair dínn. Tarrac beag mear ar mo
sciorta.
"A Mhaimí, a Mhaimí, canathaobh go bhfuileann tú
ag gol?"
Insím deargéitheach: "Toisc go bhfuil mo chroí ag
pléascadh
le teann bróid is mórtais ar lá do chomaoineach, a
chuid,"

mar ag féachaint ar an ealta bhán de chailíní beaga,
gach duine acu ina coinnleoir óir ar bhord na
banríona,
conas a inseod di i dtaobh an tsaoil atá roimpi,
i dtaobh na doircheachta go gcaithfidh sí siúl tríd

ina haonar, de mo dheargainneoin, is le mo neamhthoil?

An Traein Dubh

Tagann an traein dubh
isteach sa stáisiún
gach oíche chomh reigleáilte
leis an gcóiste bodhar.
Bíonn na paisinéirí
ag feitheamh léi ar an ardán.
Aithnítear iad cé nach bhfuil réalt buí
fuaite ar aon cheann.

Tá cuid acu óg, lúfar
i mbarr a maitheasa.
Tá cuid acu críonna,
iad cromtha as a ndrom.
Tá cuid acu is níor dhóigh leat
go rabhadar marcáilte,
iad gealgháireach
le feirc ar chaipín is feaig fiarsceabhach.

Ach duine ar dhuine, bordáileann siad
an traein chéanna
atá ag feitheamh leo go dúr
mar bheithíoch borb.
Tá gal á shéideadh aici
as polláirí a cuid píobán.
Bogann sí chun siúil ansan
gan glao fiteáin ná doird.

Is maidir linne,
séanaimid a gcomhluadar.
Dúnaimid ár súile
is nímid ár lámha.
Ólaimid caifé is téimid
i mbun ár ngnótha
ag ligint orainn féin
nach bhfuil siad ann.

Is mealltar sinn le spraoi,
le comhacht, le hairgead,
leis an domhan gléigeal,
le saol an mhada bháin
is dearmhadaimid
go bhfuilimid fós sa champa géibhinn
céanna is gan aon dul as againn
ach tríd an ngeata cláir

mar a bhfuil tiarnaí dorcha an bháis
ag feitheamh faoi éide.
Treoróidh siad láithreach sinn
ar chlé, go dtí an traein.
Níl éinne againn nach dtriallfaidh
ann uair éigin.
Níl éinne beo nach bhfuil sí dó
i ndán.

Ag Tiomáint Siar

Labhrann gach cúinne den leathinis seo liom
ina teanga féinig, teanga a thuigim.
Níl lúb de choill ná cor de bhóthar
nach bhfuil ag suirí liom,
ag cogarnaíl is ag sioscarnaigh.

Tá an Chonair gafa agam míle uair
má tá sé gafa aon uair amháin agam.
Fós cloisim scéalta nua uaidh gach uile uair,
léasanna tuisceana a chuireann
na carraigreacha ina seasamh i lár an bhóthair orm
faoi mar a bheadh focail ann.

Inniu tá solas ar Loch Geal
á lasadh suas mar a dheineann an Cearabuncal
uair gach seachtú bliain nuair a éiríonn seal
aníos go huachtar na loiche is croitheann
brat gainní dhi. Bailíonn
muintir na háite na sliogáin abhann seo mar bhia.

Is ar mo dheis tá Cnocán Éagóir
mar ar maraíodh tráth de réir an scéil
"seacht gcéad Seán gan féasóg,"
is na Sasanaigh ag máirseáil ar Dhún an Óir.
As an gcec

nochtann leathabairt díchéillí a ceann —
"nóiní bána is cac capaill."
Scuabann a giodam rithimiúil
síos isteach 'on Daingean mé.

An Bád Sí

Triúr a chonaic is triúr ná faca
na fearaibh ar na maidí rámha,
seaicéidí gorma orthu agus caipíní dearga,
ag dul isteach go Faill na Mná.

Sinne a bhí ag piocadh duilisc
ar na clocha sa Chuaisín —
mise is Neil is Nóra Ní Bhrosnacháin
a chonaic iad is an triúr eile ní fhaca rian.

Bhí ár gceannaibh síos go talamh
ag piocadh linn is ár n-aprúin lán.
Mise is túisce a d'ardaigh m'amharc
nuair a chualamair fuaim na maidí rámha.

Ní fhéadfainn a rá an cúigear nó seisear
fear a bhí istigh sa bhád.
Bhí duine acu thiar ina deireadh á stiúradh
is gan aon chor as ach oiread leis an mbás.

Do liús is do bhéiceas féachaint
isteach faoin bhfaill cár ghaibh an bád.
Chonaic triúr iad is ní fhaca an triúr eile
in áit chomh cúng ná raghadh ach rón.

Is dá mbeidís ag straeneáil ann go maidin
go brách na breithe ní fheicfeadh rian
den mbád úd nárbh aon bhád saolta
a chonac le mo dhá shúil cinn.

Dúirt na seandaoine nár mhithid
teacht abhaile is an Choróin a rá
mar gur minic a bhí a leithéid cheana
á thaibhsiú do dhaoine ar an mbá.

Triúr a chonaic is triúr ná faca
na fearaibh ar na maidí rámha,
seaicéidí gorma orthu is caipíní dearga
ag dul isteach go Faill na Mná.

Gan Do Chuid Éadaigh

Is fearr liom tú
gan do chuid éadaigh ort —
do léine shíoda
is do charabhat,
do scáth fearthainne faoi t'ascaill
is do chulaith trí phíosa faiseanta
le barr feabhais táilliúireachta,

do bhróga ar a mbíonn
i gcónaí snas,
do lámhainní craiceann eilite
ar do bhois,
do hata *chrombie*
feircthe ar fhaobhar na cluaise —
ní chuireann siad aon ruainne
le do thuairisc,

mar thíos fúthu
i ngan fhios don slua
tá corp gan mhaisle, gan mháchail
nó míbhua,
lúfaireacht ainmhí allta,
cat mór a bhíonn amuigh
san oíche
is a fhágann sceimhle ina mharbhshruth.

Do ghuailne leathna fairsinge
is do thaobh
chomh slim le sneachta séidte
ar an sliabh;
do dhrom, do bhásta singil
is id' ghabhal
an rúta
go bhfuil barr pléisiúra ann.

Do chraiceann atá chomh dorcha
is slim
le síoda go mbeadh tiús veilbhite
ina shníomh
is é ar chumhracht airgid luachra
nó meadhg na habhann
go ndeirtear faoi
go bhfuil suathadh fear is ban ann.

Mar sin is dá bhrí sin
is tú ag rince liom anocht
cé go mb'fhearr liom tú
gan do chuid éadaigh ort,
b'fhéidir nárbh aon díobháil duit
gléasadh anois ar an dtoirt
in ionad leath ban Éireann
a mhilleadh is a lot.

Caora Fíniúna

Is furasta bheith sásta.
Éiríonn aníos mo chlann
mar shlapair fíniúna
timpeall orm, crann
taca an teaghlaigh,
a ghaibh trí thine
is trí uisce. Tiocfaidh an t-am
fós, gan aon dabht,
go mbeidh a bhfómhar féin rompu
is an t-ualach trom,
mar níl aon éaló ó chrann
tochraiste na cantaoire fíona.

Anois is leor liom
mo lámha a líonadh
leis na fíniúna, na caora.

Éirigh, a Éinín

Éirigh, a éinín, i mbarra na gcraobh
is beir ar an ngéag uachtarach i do chrúcaí,
scol amach go haerach in ard do ghutha is do chinn
do shiolla glórmhar fuaime, in aon sconna amháin
    nótaí.
Ansan dein arís é is meabhraigh faoi dhó nó faoi thrí
na fíricí bunaidh do mo leithéidse ainmhí — abair
cé gur chailleas mo stór nach dócha gur chailleas
    mo chiall
is cé gur mór é mo bhrón nach bhfuil teora le ceolta
    an tsaoil.

Éirigh is cuir in iúl dúinne, a mhaireann go bocht
le méid an tochta a líonann do chroí is t'ucht
go bhfuil na ba bainne ag iníor
ins na móinéir cois abhann, feileastram is féar
ag dul go cluasa orthu; iad ag cogaint na círeach go
réidh malltriallach, muinín is foighne le feiscint ina
    súile séimhe
cé go bhfuil leoraí an bhúistéara ag feitheamh leo is
    an léith
uisce i bhfolach faoi scáth an bhiolair sa bhféith.

Go bhfuil triúr ban faoi scairfeanna saorga ag
    tabhairt an turais
ag tobar Naomh Eoin Baiste na Minairde. Iad
    tagaithe abhus

ón gCom is ón nDaingean, iad ag cur beagáinín
    allais
ina ngúnaí *crimplene* le méid an teasa lae Lúnasa.
Ardaíonn an bhean is raimhre acu a guth, ag rá na
    Corónach
i mBéarla na tuaithe, deichniúr i ndiaidh deichniúr,
ag ardú is ag ísliú mar dhordán beiche nó traonaigh.
Tá na cuileanna glasa ag leathadh ubh ar na sméara
    os a gcomhair.

Inis go bhfuil tóithín turasóra mná anall ó Shasana
i mbícíní buí ag éirí as an dtoinn,
í ag siúl trasna go doras a ceampair *GB*
is le tuáille straidhpeach á triomú féin ar an gclaí;
go bhfuil a bolg slim is buí ón ngréin,
a cíocha mar *grapefruit,* córach agus cruinn,
cíor gruaige ina deasóg is buidéal seampú *Loxene*
    ina láimh chlé,
gan de dhíth uirthi mar Véineas ach amháin an
    sliogán muirín.

Éirigh is cuir do chroí amach, i nganfhios
duit tá bean mheánaosta dhuairc ag gabháilt na slí
í ag treasnú na duimhche, ag gabháilt anuas Bóthar
    an Fhearainn
is leanbh máchaileach á thiomáint aici roimpi.
Tá scamall anuas ar an mbean is grabhas ar a pus,
a stocaí laisteacha ag cur uirthi ag an dteas,

cé gur mheasa ná san go mór, dar léi, an tinneas
óna féitheoga *varicose* dá mbainfeadh sí iad anuas.
Can amach go hard, ó scáth an chrainn daraí,
a smólaigh mhóir, tharrbhric, do cuid spotaí
ag cur réilthíní speabhraíde orm, tapaigh anois do
    sheans
go gcloisfldh an leanbh tú, is é suite suas sa phram;
buailfidh a bhosa ar a chéile is déanfaidh gáirí
is cuirfidh in iúl dá mháthair ina shlí féin, "A Mham,
cuir suas de sna smaointe is den duairceas tamall,
tá éinín ag canadh ar dalladh ar bharra na gcrann."

Féachfaidh an bhean aníos as an gceo modardhorcha
atá ar foluain ina timpeall, is glacfaidh sí misneach
    is ciall.
I gcraipeadh na súl sínfidh cosa ón ngréin tríd an néal
féintrua atá á milleadh, is leathfaidh fáth an gháire
ar a béal. Chímse an gáire agus is fearr liom é ná
    fáth a goil
is tuigim gur mhaith an díol ort an moladh, do rud
    chomh beag,
do scaltarnach mire mar fhianaise ar an aiteas is an
    phian
a bhaineann le marthain, mo dhálta féin, a éinín.

Greidhlic

Tráth go rabhas amuigh
ar an oileán ba é ba mhó
ba chúram dom ná
dreapadh suas is síos na failltreacha
ag bailiú greidhlice,

planda go bhfuil ainm chomh hálainn air
go bhféadfá an focal féin
a thógaint i do bhéal
is é a chogaint.
Díreach ag cuimhneamh air
tagann uisce trí sna fiacla
ar mhuintir an oileáin.

Geirgín nó cabáiste faille a ainm
oifigiúil i nGaolainn.